La p
de classe

Didier Jean et Zad • Mérel

Rachid le timide

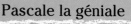

Pacha le chat

Mélanie la chipie

Pascale la géniale

Arthur le gros dur

ES-tu prêt pour
une nouvelle aventure ?
Eh bien, commençons !

Ah, j'y pense :
les mots suivis
d'un ☼ sont
expliqués à la fin
de l'histoire.

Comme chaque matin,
Mélanie et Pascale se retrouvent
à la porte de l'école.

– Oh, comme tu es belle ! s'écrie Pascale.
On dirait que tu vas à un mariage.
– Tu trouves ? répond Mélanie.
Moi, je n'aime pas du tout. Ma mère
a voulu m'habiller comme ça à cause
du photographe. Tu sais, celui qui vient
à l'école aujourd'hui pour la photo
de classe.

Oh zut, le photographe ! Pascale avait complètement oublié. Elle est en jeans et en tee-shirt, comme d'habitude.

Son amie la regarde d'un air malicieux :

– Attends, j'ai une idée ! On va échanger nos vêtements.

Et les deux copines disparaissent derrière un arbre.

Madame Duclou, la maîtresse, qui s'est fait un beau chignon, donne ses dernières recommandations :

– Écoutez ce que monsieur Bourru, le photographe, vous dit. Et surtout, tenez-vous bien !

En apercevant Mélanie, elle ajoute :

– Dis donc, tu aurais pu faire un effort. Toi qui es si coquette d'habitude !

9

Dans le préau, le photographe installe
les enfants. Les petits se rangent devant,
les grands derrière, debout sur des bancs.

Ça prend un temps fou. Quand tout
le monde est en place, monsieur Bourru
termine ses derniers réglages.

Soudain, patatras !

Arthur bouscule Alexandre qui dégringole
sur Mélanie. Celle-ci se rattrape à Théo,
et toute la rangée du haut s'écroule
sur celle du bas.

Certains élèves se mettent à pleurer,
parce que leurs habits sont salis.

La maîtresse est énervée, il faut tout
recommencer.

**Le photographe va-t-il
pouvoir faire sa photo ?**

13

Enfin, les enfants sont bien alignés.

Mais il faut refaire plusieurs fois la photo.

D'abord, c'est Rachid qui baisse les yeux
parce qu'il est timide. Ensuite, c'est
Mélanie qui fait une blague à Martin.

Monsieur Bourru s'impatiente et tape
nerveusement du pied.

– Bon, maintenant, tout le monde est prêt ?

Au moment où le photographe déclenche une fois de plus son appareil,
Pascale se retourne vers la maîtresse :
– Madame, on a oublié de dire « Ouistiti » !
Mon papa, il nous fait toujours dire ça avant de prendre une photo.

Tous les élèves font leurs commentaires :
– Moi, ma maman, elle dit « Chiiizz » !
– Et moi, c'est « Spaghetti » !

17

– Encore une photo ratée, bougonne
monsieur Bourru.

La maîtresse a du mal à calmer
les enfants.

Elle est rouge à force de crier
et son chignon commence à tomber.
Le photographe lui conseille d'aller
se recoiffer.

Lorsque madame Duclou revient,
Pascale est encore en train de donner
des conseils au photographe. La maîtresse
la traite de « Madame Je-sais-tout »
et lui demande de se taire.
Vexée, Pascale boude dans son coin.
Plus personne n'a envie de rigoler.

Monsieur Bourru ronchonne :

– Quel gâchis, toutes ces photos ratées !

Il n'en reste plus qu'une dans ma pellicule.

Alors celle-ci, il faut la réussir !

La dernière photo
sera-t-elle réussie ?

Mais cette séance photos a trop duré,

tout le monde en a assez.

Les enfants n'ont plus envie de sourire.

Alors, le photographe fait des grimaces
pour les amuser. Les élèves éclatent
de rire. Vite, le photographe appuie
sur le déclencheur.

– Parfait, voilà une photo bien vivante !
dit-il, fier de lui.

Soulagée, madame Duclou félicite
monsieur Bourru :

– Grâce à vous, nous aurons une belle
photo de classe !

– C'est plutôt grâce à Gafi ! chuchote
Pascale à l'oreille de Mélanie.

c'est fini !

Certains mots sont peut-être difficiles à comprendre. **Je vais t'aider !**

Un air malicieux : Mélanie regarde Pascale avec un air coquin, taquin.

Donner des recommandations : la maîtresse donne des conseils à ses élèves.

Quel gâchis ! : le photographe a gaspillé presque toute sa pellicule sans réussir la photo de classe.

Le déclencheur : c'est le bouton sur lequel le photographe appuie pour faire la photo.

As-tu aimé mon histoire ? Jouons ensemble, maintenant !

Vrai ou faux ?

1 Mélanie a oublié que c'était le jour de la photo de classe.

2 Alexandre bouscule Mélanie.

3 Rachid fait une blague à Martin.

4 Pascale donne des conseils à monsieur Bourru.

5 Le photographe fait rire les enfants.

Réponse : 1 : faux – 2 : faux – 3 : faux – 4 : vrai – 5 : faux

cherche bien !

Regarde bien ces silhouettes et retrouve-les dans l'image.

a b c d

e f g

Réponse : au premier rang, de gauche à droite, il y a le garçon (b) avec un pull vert, celui qui tient la pancarte (f), celui qui parle à sa voisine (d). Au second rang, il y a Arthur (c), sa voisine (e), Rachid (g) et la maîtresse (a).

Impossible !

Si tu veux lire les phrases ci-dessous, remets les mots dans le bon ordre.

est   en   place.   monde   le   Tout

photo   de   Nous   une
belle   aurons   classe.

félicite   monsieur   maîtresse
Bourru.   La

à   chuchote   l'oreille
Mélanie.   de   Pascale

Réponse : tout le monde est en place. Nous aurons une belle photo de classe. La maîtresse félicite monsieur Bourru. Pascale chuchote à l'oreille de Mélanie.

30

Quel bazar !

Combien y a-t-il de lettres dans le mot « photographe » ?
Peux-tu les retrouver et reconstituer le mot ?

i o a b c p t
x h s o y
i e c p d r
f g j h z w

Réponse : il y a 11 lettres dans le mot « photographe ».

Dans la même collection
Illustrée par Mérel

Je commence à lire

Je lis

Je lis tout seul

Directeur de collection et conseil pédagogique : Alain Bentolila

© Éditions Nathan (Paris-France), 2007
Conforme à la loi n°49956 du 16 juillet 1949
sur les publications destinées à la jeunesse
ISBN 978-2-09-250600-4
N° éditeur : 10147442 - Dépôt légal : avril 2008
Imprimé en France par Loire Offset Plus